Anifeiliaid
y dref

© Testun: Mererid Hopwood a Tudur Dylan Jones, 2019
© Dyluniad: Peniarth,
Prifysgol Cymru Y Drindod Dewi Sant, 2019

Golygwyd gan Elin Meek.

Arluniwyd gan Rhiannon Sparks.

Cyhoeddwyd yn 2019 gan Peniarth.

Mae Prifysgol Cymru Y Drindod Dewi Sant yn datgan ei hawl
moesol dan Ddeddf Hawlfraint, Dyluniadau a Phatentau 1988 i gael
ei hadnabod fel awdur a dylunydd y gwaith yn ôl eu trefn.

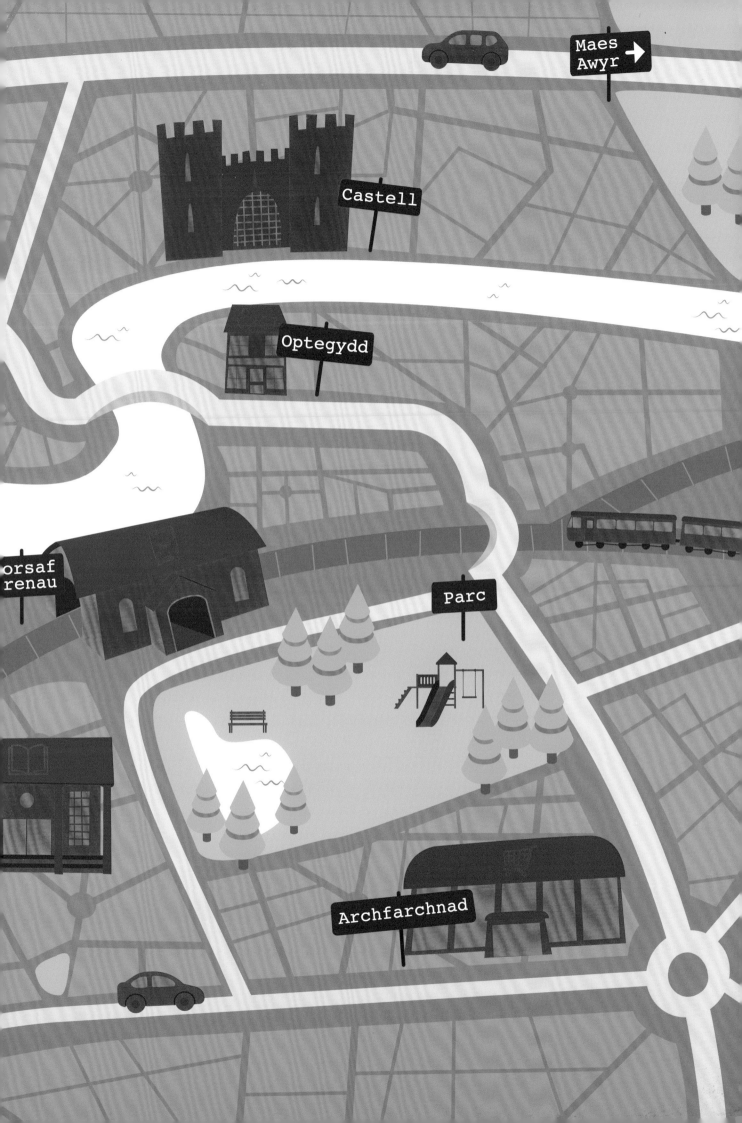

Tybed pa anifeiliaid a ddaw
mewn haul a gwynt a niwl a glaw?

Mae'r mochyn daear
yn cysgu'r dydd,

ond yn y nos mae'n
crwydro'n rhydd.

Ym mrigau'r coed mae'r wiwer lwyd
yn dringo'n uwch i chwilio bwyd.

Canu'n swynol wna'r adar bach,
hedfan yn uchel yn yr awyr iach.

Mae ambell lwynog yn crwydro'r stryd,
a'i got fawr flewog yn goch i gyd.

Daw llygod un nos i fentro mas,
heb weld yr haul yn yr awyr las.

Draw fan draw mae tylluan fach lwyd
yn treulio'r nos yn chwilio bwyd.

Y mwydod bach
sy'n mynd ar daith

18

drwy bridd yr ardd
mewn twneli maith.

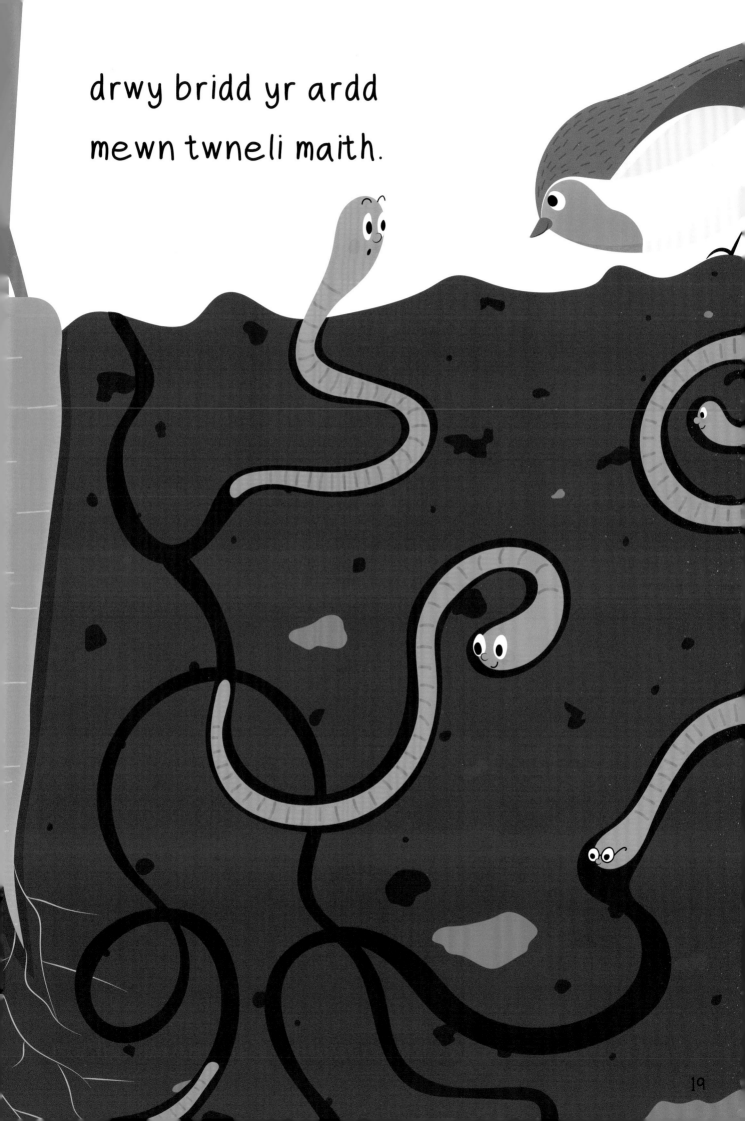

dydd

Yn yr awyr ac ar y llawr
mae anifeiliaid bach a mawr!

nos

yr haul

awyr las y dydd

DYDD

NOS

y lleuad

sêr yn yr awyr
liw nos

pobl

ci

iâr / ffowlyn

gwiwer

mwydyn

aderyn

cadno / llwynog

draenog

llygoden

mochyn daear

tylluan / gwdihŵ

ystlum

www.**peniarth**.cymru